Une si pe

Eric Carle

Mijade

C'est l'automne.
Le vent souffle. Il soulève les graines de fleurs
au-dessus du sol et les emporte. Parmi elles,
il y en a une qui est toute petite, minuscule !
Est-ce qu'elle parviendra à suivre les autres ?
Et d'ailleurs, où vont-elles, toutes ces graines ?

Une graine vole plus haut que les autres.
Elle monte, elle monte, plus haut, plus haut,
si haut qu'elle se brûle aux rayons du soleil.
Mais la toute petite graine est toujours du voyage.

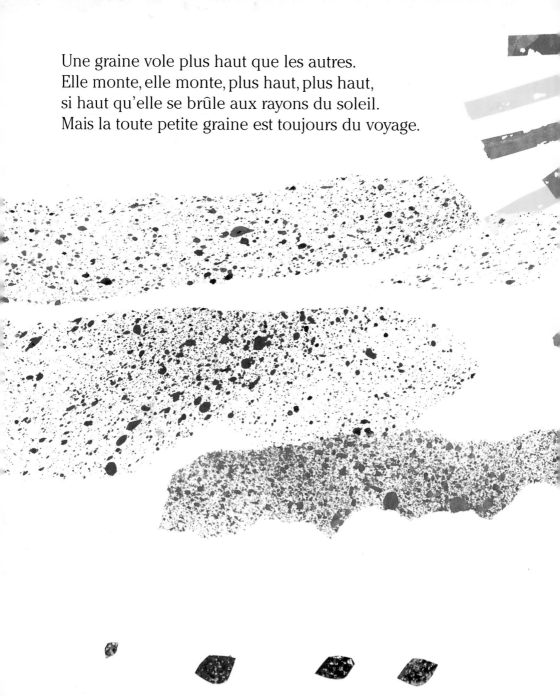

Une graine atterrit au sommet d'une montagne
couverte de glace. Là-haut, la glace ne fond jamais,
elle ne pourra pas s'enraciner.
Les autres graines poursuivent leur chemin,
mais la plus petite est un peu à la traîne.

Les graines traversent l'océan.
Une graine tombe à l'eau et coule.
Emportées par le vent, les autres continuent
mais la plus petite ne vole pas aussi haut qu'elles.

Une graine se pose au milieu du désert.
Il y fait chaud et sec. Elle ne pourra pas pousser.
La toute petite graine vole presque à ras du sol,
maintenant, mais le vent continue à l'entraîner.

Soudain, le vent cesse de souffler
et les graines tombent doucement sur le sol.
Un oiseau arrive et picore une graine,
mais pas la toute petite.

Elle est tellement petite qu'il ne la voit même pas.

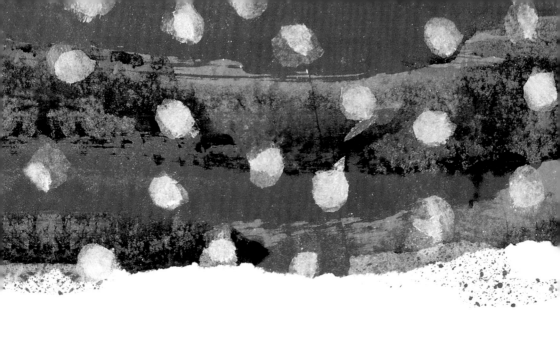

Pendant l'hiver,
les graines se reposent de leur long voyage.
La neige les recouvre d'une couverture blanche.
Dans le sol vit aussi une souris.

Comme elle a faim,
elle grignote une graine pour son repas.
Elle ne remarque pas la toute petite graine
qui dort tranquillement.

Puis le printemps arrive. Les graines gonflent,
s'arrondissent et enfin elles s'ouvrent.
A partir de ce moment-là,
ce ne sont plus des graines. Ce sont des plantes.
D'abord, elles plongent leurs racines dans le sol.
Puis leur tige sort de terre, leurs feuilles se déplient
et elles commencent à grandir.
Mais il y en a une qui pousse beaucoup plus vite
que les autres. C'est une mauvaise herbe.
Elle est déjà si grosse qu'elle empêche
le soleil et la pluie d'atteindre la plante
qui pousse à côté d'elle.
Alors la plante meurt, étouffée.
La toute petite graine ne s'est pas encore réveillée.
Bientôt il sera trop tard ! Enfin, elle se décide
et lance vers le ciel une tige fragile.

Le retour du soleil invite les enfants
à reprendre leurs jeux au jardin.
Eux aussi attendaient le printemps!
Un enfant se met à courir.
Il n'a pas vu les jeunes plantes
et -oh, il en a cassé une!
Celle-là ne grandira plus.

La petite plante née de la toute petite graine
pousse à toute allure.
Mais sa voisine pousse encore plus vite :
elle a déjà sept feuilles !
Bientôt un bouton se forme, puis une fleur.

Mais qu'est-ce qui se passe ?
D'abord, il y a un bruit de pas.
Puis une ombre s'étend sur les deux plantes.
Une main s'avance et brise la tige de la fleur.

Un garçon l'a cueillie pour son amie.

L'été est là, et il ne reste plus qu'une plante :
celle qui est sortie de la toute petite graine.
Le soleil la réchauffe, la pluie la rafraîchit.
Elle se couvre de feuilles. Elle pousse encore et encore,
comme si elle ne devait jamais s'arrêter.
Bientôt elle domine les gens, les arbres et les maisons.
Au sommet de sa tige, une fleur s'ouvre, si grande
qu'on vient de partout pour l'admirer.

Tout au long de l'été, oiseaux, abeilles
et papillons s'empressent autour d'elle.
Ils n'ont jamais rien vu d'aussi beau
que la fleur géante.

Puis l'automne revient.
Les jours raccourcissent. Les soirées fraîchissent.
Et le vent, en soufflant,
arrache les feuilles jaunes et rouges.
Des pétales se détachent de la fleur
et se mêlent au ballet tourbillonnant des feuilles.

Le vent souffle plus fort.
La fleur, qui a perdu presque tous ses pétales,
se courbe et penche sur sa tige.
Le vent souffle encore plus fort.
Il secoue la fleur encore et encore.

Alors, du cœur de la fleur,
un tas de petites graines se détachent,
que le vent emporte aussitôt.

Pour Ann Beneduce

Huitième édition septembre 2013

© Éditions Mijade (Namur)
pour l'édition française

© 1970 Eric Carle
pour le texte et les illustrations
Titre original : The tiny seed

Texte français de Laurence Bourguignon

ISBN 2-87142-126-9
D/1997/3712/29

Imprimé en Belgique